VIKINGOS

Ⓟ Parramón

Proyecto y realización
Parramón Ediciones, S.A.

Dirección editorial
Lluís Borràs

Ayudante de edición
Cristina Vilella

Textos
Dolores Gassós

Diseño gráfico y maquetación
Estudi Toni Inglés

Ilustraciones
Estudio Marcel Socías

Dirección de producción
Rafael Marfil

Producción
Manel Sánchez

Primera edición: marzo 2005

Grandes civilizaciones
Vikingos
ISBN: 84-342-2740-1

Depósito legal: B-7488-2005

Impreso en España
© Parramón Ediciones, S.A. – 2005
Ronda de Sant Pere, 5, 4ª planta
08010 Barcelona (España)
Empresa del Grupo Editorial Norma

www.parramon.com

SUMARIO

UN PUEBLO SIN FRONTERAS

Los vikingos fueron unos marineros audaces y experimentados que mantuvieron en vilo todas las costas de Europa a lo largo de dos siglos, con sus incursiones en busca de tierras y de riquezas. También fueron buenos comerciantes y el primer pueblo europeo que inició la senda de los grandes descubrimientos geográficos. La parte más importante de su legado se conserva en los países escandinavos. Más allá de sus regiones de origen, la principal enseñanza que legaron los vikingos fue su capacidad de lograr grandes gestas con escasos medios materiales, a base sobre todo de arrojo y de esfuerzo.

El presente libro pretende despertar en los jóvenes lectores el interés por la historia y la realidad de los vikingos mediante una breve introducción y once temas en los que se abordan con textos e imágenes algunos de los aspectos más importantes de una cultura que condicionó el desarrollo de la Edad Media en Europa. La imagen central permite hacerse una idea inmediata del tema tratado mientras que los textos, informativos y complementarios al mismo tiempo, proporcionan los conocimientos básicos sobre la cuestión. Al final se presenta como aportación adicional una cronología con los principales hitos de la historia de los vikingos y un pequeño compendio de curiosidades.

EL TERROR DE LOS MARES

El mascarón de los drakkars vikingos era muy sofisticado.

EL PUEBLO MARINERO DEL NORTE

Los vikingos son el pueblo marinero que habitó en los actuales territorios de Dinamarca, el sur de Noruega y el sur de Suecia desde el siglo V hasta el siglo XII, aproximadamente. Vivían en unas tierras de inviernos muy fríos y veranos cortos, donde los bosques y los lagos cubrían la mayor parte del territorio. La escasez de terrenos disponibles para el cultivo y el clima adverso hacían muy difícil la agricultura, que se limitaba a algunos cereales (cebada, centeno, heno) y a unas pocas hortalizas. Por este motivo, los vikingos tenían que basar su subsistencia en actividades como la pesca o la ganadería, de las que obtenían desde pieles y grasas hasta carne y leche. De los bosques extraían la madera necesaria para la construcción de sus casas y también de sus embarcaciones, los famosos drakkars.

Los vikingos vivían al ritmo de las estaciones: en primavera y verano podían salir a navegar, cultivar la tierra y dejar pastar al ganado en prados al aire libre. Durante el otoño y el invierno, los barcos se guardaban en cobertizos, el ganado permanecía encerrado en los establos y los hombres, las mujeres y los niños pasaban largas veladas junto al fuego, jugando a los dados y narrando aventuras increíbles. En esa época del año, los vikingos recurrían a las reservas alimenticias que habían acumulado durante la primavera y el verano.

LA FURIA VIKINGA CAE SOBRE EUROPA

Estos marineros del norte se llamaban a sí mismos vikingos, pero fuera de sus tierras se les denominaba normandos, que significa "hombres del norte". En las primeras expediciones en las que se aventuraron lejos de sus zonas de origen, los normandos o vikingos buscaron áreas ricas en pesca y tierras desiertas o poco

Europa en tiempos de los vikingos.

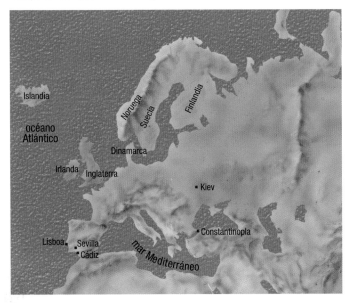

Islandia

océano Atlántico

Noruega
Suecia
Finlandia

Dinamarca

Irlanda
Inglaterra

• Kiev

• Constantinopla

Lisboa
• Sevilla
• Cádiz
mar Mediterráneo

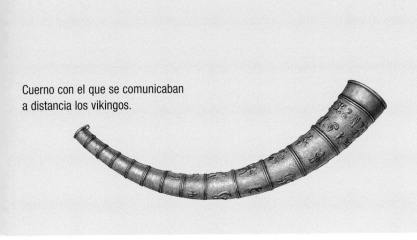

Cuerno con el que se comunicaban a distancia los vikingos.

Casco de guerra vikingo.

habitadas, susceptibles de colonizar. Fueron, pues, un pueblo pacífico hasta que en el año 793 atacaron el monasterio de Lindisfarne, en Inglaterra. A partir de entonces, sus ataques a las costas europeas se repitieron con macabra regularidad todas las primaveras y los veranos hasta el año 1100, fecha en la que se sitúa el punto final de la llamada era vikinga.

Al darse cuenta de la facilidad con la que habían obtenido un rico botín mediante el saqueo de un monasterio, los vikingos decidieron recurrir en lo sucesivo a ese mismo método para aprovisionarse de los materiales de los que carecían, como los metales, y se dirigieron cada vez más al sur de Europa. Después de sembrar el terror en Holanda y en Francia, donde causaron una gran masacre en la ciudad de Nantes, llegaron hasta Galicia, en cuyas costas provocaron una gran devastación; luego fueron a Lisboa, Cádiz y Sevilla, ciudad que saquearon en el año 844. Algunos meses después le tocó el turno a París, a donde volvieron en varias ocasiones. Y es que las naves vikingas, muy planas y versátiles, además de surcar los océanos podían adentrarse por los cauces de los ríos y llegar así hasta el mismo corazón de Europa.

DE SAQUEADORES A REYES

Con el fin de frenar los ataques de estos guerreros temibles, diversos reyes europeos firmaron la paz con ellos y les cedieron territorios. El primero en hacerlo fue Alfredo el Grande de Inglaterra, y en el año 911, Carlos III el Simple de Francia donó a Rollón unas tierras situadas en la costa norte francesa, que pasaron a llamarse Normandía al ser pobladas por los normandos, o vikingos, y que constituyeron un ducado hereditario del que Rollón fue el primer titular.

Comenzó por entonces su fase de expansión fuera de sus territorios de origen. Se cree que una de las causas de las expediciones vikingas fue precisamente la de buscar nuevos espacios para el asentamiento de una población cada vez más numerosa que a duras penas podía subsistir en las frías tierras del norte. Los vikingos se establecieron en diversas zonas de Inglaterra y de Irlanda, en la Normandía francesa e incluso en la isla de Sicilia. En algunas de estas regiones llegaron a crear reinos importantes, por ejemplo los que gobernaron Canuto el Grande, Guillermo el Conquistador o Roger II de Sicilia, y dejaron una huella perdurable en la cultura del lugar.

Figura de bronce del dios Frey.

COMERCIANTES QUE VIAJAN HACIA EL ESTE

Los vikingos más feroces y sanguinarios eran los que habitaban en Dinamarca. Sus monarcas más famosos, Sven I (986-1014) y Canuto I el Grande (1016-1035), llegaron a formar un imperio que incluía Dinamarca, Inglaterra y Noruega, pero que fue de corta duración.

Los vikingos de Noruega comenzaron por colonizar las islas situadas al oeste y al norte de sus tierras, y así llegaron hasta las costas de Islandia. En el año 981, Erik el Rojo se aventuró incluso hasta Groenlandia y existe constancia documental de que sus hijos Leiv y Thorvald desembarcaron en una tierra a la que llamaron *Vinland* (país de la viña), que suele identificarse con Nueva Escocia. Los noruegos practicaron el saqueo a partir del año 795, cuando primero atacaron y luego colonizaron las costas de Irlanda.

Los vikingos de Suecia, llamados varegos o rus, estaban más interesados en el comercio que en los saqueos, y sus expediciones remontaban el curso de los ríos Dnieper y Volga en busca de lugares donde intercambiar sus productos. Por estas vías llegaron hasta Constantinopla, ciudad a la que acosaron en varias ocasiones, obligando al emperador de Bizancio a concederles importantes ventajas comerciales. De este modo, los vikingos desempeñaron un papel importante como intercambiadores de productos entre Oriente y Occidente. En Bizancio y el Turkestán comercializaban esclavos, pieles y armas procedentes de Occidente; en Inglaterra y Francia vendían sedas y especias traídas de Oriente.

Túmulo de piedras en forma de barco.

Recreación de una valkiria, mujer guerrera del panteón vikingo.

Los varegos conquistaron algunas de las ciudades de las zonas por las que pasaban, como Kiev o Novgorov, y las convirtieron más tarde en las capitales de un ducado que se considera el germen del estado ruso.

EL CRISTIANISMO ACABA CON EL MUNDO VIKINGO

Mientras tenían lugar todos estos acontecimientos, los primeros misioneros cristianos empezaban a predicar el cristianismo en las tierras de los vikingos. Éstos eran paganos y su religión se basaba en una rica mitología que contaba con multitud de dioses y con seres fabulosos como los elfos o enanos de los bosques. La mitología vikinga se transmitía esencialmente por tradición oral, pero a partir del siglo XII inspiró también algunos textos escritos que todavía se conservan. El cristianismo se extendió con rapidez y pronto se construyeron las primeras iglesias, más influidas en esos momentos iniciales por el arte vikingo que por el arte cristiano.

Los vikingos no levantaron grandes edificios, pero alcanzaron una destreza considerable en las artes decorativas. Ornamentaban sus barcos con bellas esculturas representativas de cabezas de animales terroríficos y con tallas de inspiración geométrica o zoomorfa en las partes más visibles de la madera. También las empuñaduras y las fundas de sus espadas solían estar ricamente decoradas, y en algunas ocasiones, incluso los escudos y los cascos. En este sentido, cabe destacar los motivos de entrelazos con dibujos estilizados de animales.

La era vikinga tocó a su fin alrededor del año 1100, cuando fueron derrotados en algunas batallas como la de Clontarf, en Irlanda, o sus reyes se convirtieron al cristianismo y entraron a formar parte de la Europa medieval.

Crucifijo de plata del siglo X (Museo Nacional de Estocolmo). Es la imagen de Cristo más antigua de Escandinavia.

NAVEGAR CONTRA VIENTO Y MAREA

Las embarcaciones vikingas, llamadas generalmente drakkars, fueron la base de la prosperidad de este pueblo del norte de Europa. Este tipo de nave se utilizaba para la pesca, para el comercio y también para atacar a otros pueblos europeos en busca de ricos botines. En función de su uso, los barcos podían ser más robustos, para poder transportar más carga, o más ligeros, y por tanto más fáciles de maniobrar. Gracias a la eficacia de estas naves y a su pericia marinera, los vikingos mantuvieron en vilo a toda Europa a lo largo de varios siglos.

■ **tienda**

por la noche, si no podían atracar en tierra, los tripulantes hacían una tienda de tela en el centro del barco para resguardarse

■ **arcones**

cada vikingo llevaba su propio arcón, donde guardaba sus pertenencias y el botín, y donde se sentaba para viajar y para remar

■ **saqueo y comercio**

las embarcaciones de saqueo eran de poco calado, y por ello podían maniobrar en aguas someras; las destinadas al comercio eran de mayor calado para poder transportar mercancías pesadas

dimensiones ■

las embarcaciones vikingas medían alrededor de 24 m de eslora, 5,20 m de manga y 1,80 m de puntal, y podían desplazar unas 23 toneladas de carga

estabilidad ■

como consecuencia de su peculiar configuración, los drakkars tenían una gran estabilidad y por eso podían navegar con éxito por el bravo océano Atlántico

remos ■

tenían un mástil abatible y una vela rectangular, pero también disponían de entre 20 y 50 remos para cuando la ocasión lo requería

CAJA DE HERRAMIENTAS

Los vikingos sabían fundir el bronce y el hierro, y elaboraban con esos metales una gran cantidad de utensilios que les servían para construir sus barcos y para muchas otras tareas. En Mästermyr (Suecia) se encontró en 1936 una caja de herramientas vikingas con más de 200 piezas.

RUMBO A AMÉRICA

Con estos barcos veloces y seguros, los vikingos se aventuraron a cruzar el océano Atlántico y llegaron hasta Groenlandia. Se cree incluso que desembarcaron en Nueva Escocia, en el continente americano, cuatro siglos antes de que llegara Cristóbal Colón a la isla de La Española.

■ **velas**

las velas iban amarradas al mástil y también a la proa y a la popa del barco, que alcanzaban una altura considerable

drakkar ■

la palabra drakkar significa dragón y su origen se encuentra en el dragón o animal terrorífico que solía adornar la proa de las naves vikingas

madera ■

los drakkars se hacían con madera de roble y su construcción se llevaba a cabo con un detallismo y una perfección admirables

EUROPA TIEMBLA ANTE LOS VIKINGOS

Los vikingos habitaban en una zona del norte de Europa que coincide con los actuales territorios de Dinamarca, el sur de Noruega y el sur de Suecia. Esas tierras no eran demasiado adecuadas para la agricultura, debido a la escasa fertilidad de los suelos, y sobre todo, al rigor de unos inviernos extremadamente fríos. Por ello, los vikingos optaron por buscar la riqueza fuera de sus zonas de origen a través del comercio, de la colonización y del ataque a los monasterios y a las ciudades más ricos de Europa.

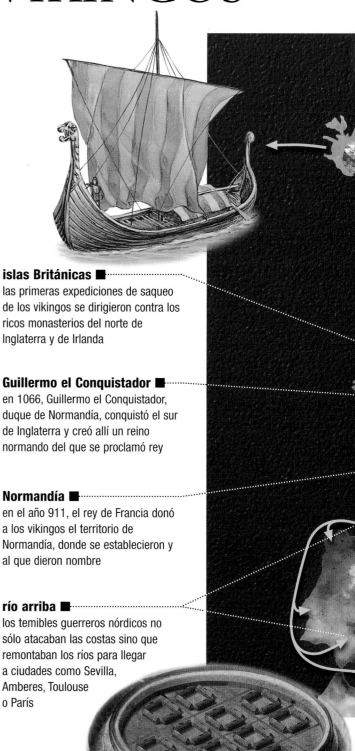

islas Británicas ■
las primeras expediciones de saqueo de los vikingos se dirigieron contra los ricos monasterios del norte de Inglaterra y de Irlanda

Guillermo el Conquistador ■
en 1066, Guillermo el Conquistador, duque de Normandía, conquistó el sur de Inglaterra y creó allí un reino normando del que se proclamó rey

Normandía ■
en el año 911, el rey de Francia donó a los vikingos el territorio de Normandía, donde se establecieron y al que dieron nombre

río arriba ■
los temibles guerreros nórdicos no sólo atacaban las costas sino que remontaban los ríos para llegar a ciudades como Sevilla, Amberes, Toulouse o París

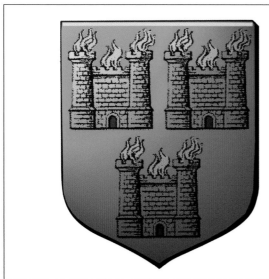

Nuevas ciudades

Los vikingos no sólo saquearon las costas de Europa, sino que en algunos casos también se establecieron en ellas y fundaron ciudades. En Irlanda, por ejemplo, se les debe la fundación de Cork y de Dublín, la actual capital del país.

EL NACIMIENTO DE RUSIA

A los vikingos suecos o varegos se debe la fundación del reino de Kiev, que fue el embrión de Rusia. El nombre de Rusia responde precisamente a que los pueblos eslavos designaban a los vikingos con la palabra "rus".

■ **Atlántico norte**
ya en los siglos VIII y IX, los vikingos visitaron los archipiélagos de las Shetland, las Órcadas y las Feröe, así como la gran isla de Islandia, donde se establecieron

■ **el este de Europa**
por el este, los vikingos navegaron por los ríos Dnieper y Volga hasta llegar al mar Caspio y al mar Negro, donde establecieron contacto con el Imperio bizantino

■ **el sur de Europa**
poco a poco, los drakkars se fueron aventurando cada vez más hacia el sur y llegaron a atravesar el estrecho de Gibraltar para adentrarse en el mar Mediterráneo

■ **Italia**
en el siglo XI, los normandos atacaron Italia, donde llegaron a crear el reino de las Dos Sicilias, integrado por el sur de la península Itálica y por la isla de Sicilia

¡QUE VIENEN LOS VIKINGOS!

Además de navegantes expertos, los vikingos eran unos guerreros temibles. En cuanto llegaba el buen tiempo organizaban expediciones de saqueo por las costas de Europa. Cuando se dibujaba en el horizonte el perfil de una nave vikinga, en tierra firme el terror se apoderaba de todos los habitantes de la zona. Éstos trataban de ponerse a salvo y no regresaban a sus casas hasta que los invasores habían marchado con el botín.

dirigir las naves ■
mientras viajaban en los drakkars, los guerreros vikingos tenían que controlar las velas o remar para conducir la embarcación

protección ■
confiaban su protección al dragón situado en la proa de la nave, que tenía la misión de ahuyentar los malos espíritus de los enemigos

en formación ■
las naves se perfilaban en el horizonte en formaciones de 3 o hasta 4 barcos y los vigilantes de la costa daban la alerta en cuanto las avistaban

el ataque ■
una vez en tierra, los guerreros saltaban de las embarcaciones y trataban de capturar el mayor botín posible matando, si hacía falta, a quien se interponía en su camino

la lucha ■
la lucha, cuando se producía, era en forma de lluvia de golpes de espada y de martillo, pero a menudo el enemigo huía y dejaba el campo libre para el saqueo

Armas delicadamente decoradas

En casi todos los poblados vikingos había un espacio dedicado a los trabajos de herrería. Allí se hacían las espadas, que eran de hierro y llevaban mangos y fundas decorados con gran esmero.

CON LOS BARCOS A CUESTAS

Cuando remontaban un río y llegaban a un tramo que no era navegable, los vikingos, lejos de volver sobre sus pasos, sacaban las embarcaciones a tierra, las colocaban sobre listones de madera y las hacían resbalar valle arriba hasta que el río volvía a ser apto para la navegación.

■ la batalla

en ocasiones, los ejércitos cristianos hacían frente a los vikingos y se libraban duras batallas

■ el botín

en cuanto habían reunido un buen botín, los guerreros vikingos volvían a los drakkars y se alejaban mar adentro

■ hierro

el equipo de ataque y de defensa consistía en espadas, cascos y escudos de hierro. A veces, también utilizaban para la carga martillos de ese mismo material

■ atuendo

los guerreros vestían una túnica atada con cinturón y unos pantalones sobre los que anudaban las correas de las botas

POBLADOS A ORILLAS DEL MAR

Los poblados vikingos estaban situados mayoritariamente a orillas del mar, aunque también los había en regiones del interior. Estas gentes del norte no vivían en ciudades ni en pueblos grandes, sino en pequeñas aldeas formadas por un puñado de casas. Los mismos hombres que en tierras lejanas actuaban como bravos guerreros, al regresar a sus dominios se convertían en agricultores, ganaderos o pescadores que llevaban una vida tranquila al ritmo de las estaciones.

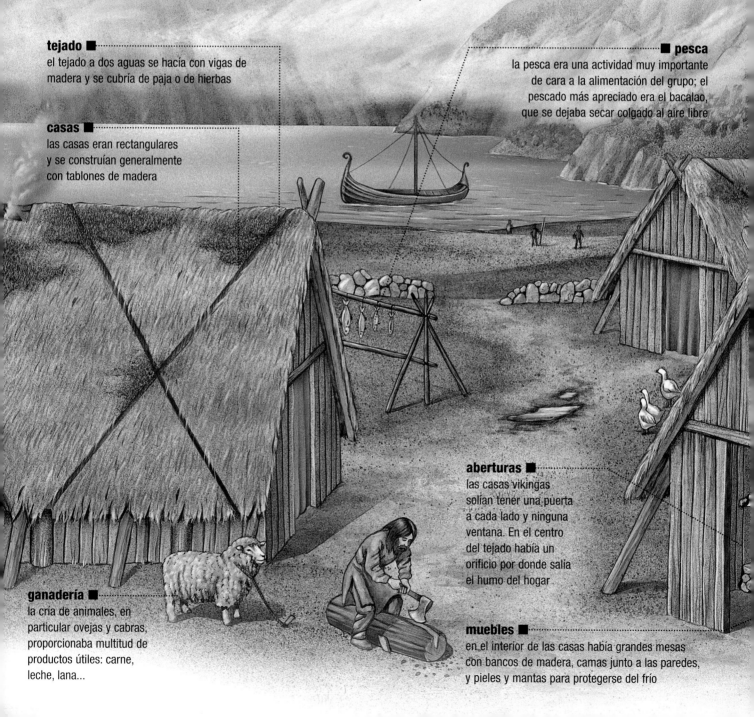

tejado ■
el tejado a dos aguas se hacía con vigas de madera y se cubría de paja o de hierbas

casas ■
las casas eran rectangulares y se construían generalmente con tablones de madera

■ **pesca**
la pesca era una actividad muy importante de cara a la alimentación del grupo; el pescado más apreciado era el bacalao, que se dejaba secar colgado al aire libre

aberturas ■
las casas vikingas solían tener una puerta a cada lado y ninguna ventana. En el centro del tejado había un orificio por donde salía el humo del hogar

ganadería ■
la cría de animales, en particular ovejas y cabras, proporcionaba multitud de productos útiles: carne, leche, lana...

muebles ■
en el interior de las casas había grandes mesas con bancos de madera, camas junto a las paredes, y pieles y mantas para protegerse del frío

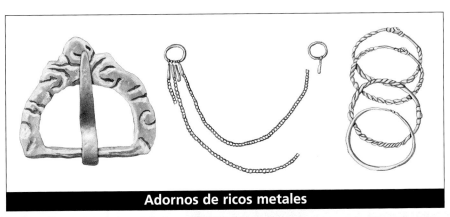

Adornos de ricos metales

Los vikingos más ricos lucían sobre sus vestidos hermosas joyas como hebillas y broches de oro o de bronce, brazaletes de oro, pendientes o collares de plata.

LA RIQUEZA DEL MAR

Además de pescados, el mar proporcionaba a los vikingos focas, morsas y ballenas, animales muy abundantes en sus territorios, que ellos cazaban para aprovechar su piel, su grasa y sus colmillos, entre otros productos.

el hogar ■
a falta de ventanas, la iluminación de las viviendas procedía esencialmente del fuego del hogar, que también servía para calentarse y para cocinar los alimentos

trabajo femenino ■
cuando los hombres se ausentaban, las mujeres se hacían cargo de todo el trabajo, y se ocupaban de tejer las túnicas y las mantas necesarias para protegerse del frío

agricultura ■
en los campos cercanos a la aldea se cultivaba sobre todo centeno y cebada, cereales de los que se obtenía alimento para los hombres y el ganado, y también paja

■ antorchas
cuando era necesario, se encendían antorchas o lámparas de aceite de ballena

PIEDRAS CON INTERESANTES MENSAJES

Los vikingos no tenían una cultura escrita basada en libros y documentos, sino que transmitían sus costumbres y tradiciones por vía oral. No obstante, poseían un alfabeto cuyos caracteres recibían el nombre de runas, y por eso la escritura vikinga se llama escritura rúnica. Este alfabeto apareció unos tres siglos antes del comienzo de la era vikinga, pero los vikingos fueron los primeros que se sirvieron de él para crear las piedras rúnicas. Estas piedras son grandes monolitos con inscripciones y dibujos, que se solían levantar para honrar a un difunto.

dragón ■
la tercera cara de la piedra está decorada con un dragón, rodeado de entrelazos vikingos

■ **piedra 2**
la piedra 2 es la más importante de las estudiadas por los arqueólogos; aquí se presentan sus dos caras decoradas con imágenes y una tercera cara con una inscripción

■ **documentos**
muchos de los datos que se conocen sobre la historia de los vikingos se deben a las inscripciones presentes en ésta y en otras piedras rúnicas

■ **Jelling**
el cementerio de Jelling, en Dinamarca, conserva dos de las piedras rúnicas más importantes del mundo vikingo

El alfabeto rúnico

EL CUERNO DE ORO DE GALLEHUS

Uno de los ejemplos más antiguos de escritura rúnica lo constituye la inscripción con el nombre del autor grabada en el cuerno de oro encontrado cerca de Gallehus, en Dinamarca, que se fecha alrededor del año 400.

El primer alfabeto rúnico constaba de 24 caracteres, pero en la época vikinga se había reducido ya a sólo 16 signos. Después de la cristianización, fue sustituido paulatinamente por el alfabeto latino.

■ Jesucristo
como muestra plástica de su conversión al cristianismo, el rey Harald hizo grabar en una de las caras de la piedra una figura de Cristo crucificado

■ arte vikingo
la figura de Cristo está entrelazada con motivos decorativos típicamente vikingos, un hecho habitual en el primer arte cristiano de los países nórdicos

■ dedicatoria
según reza la inscripción, la piedra la mandó grabar el rey Harald II en memoria de su padre Gorm y de su madre Thorvi

■ proclamación
además de honrar a sus padres, el rey Harald deja constancia de que él ganó toda Dinamarca y Noruega para sí y de que cristianizó a los daneses

PLAZAS FUERTES PARA LA DEFENSA

No hay constancia de que los vikingos construyeran sistemáticamente plazas fuertes, ya que sus principales enemigos se hallaban a miles de kilómetros, en los países cuyas costas frecuentaban para saquearlas. Pero sí que levantaron algunas fortalezas para agrupar a las expediciones de saqueo o de colonización antes de su partida hacia los lugares de destino. Esas fortalezas seguían unos esquemas predeterminados, de tal manera que todas eran muy similares entre sí.

ubicación ■
las plazas fuertes vikingas se situaban a menudo en zonas rodeadas por uno o más ríos que servían como defensa natural

fosos ■
un gran foso excavado en la tierra rodeaba todo el conjunto y un segundo foso circundaba el núcleo central de la fortaleza

empalizadas ■
alrededor del núcleo central se levantaban empalizadas de madera reforzadas con taludes de tierra

administración ■
los edificios del recinto central tenían por lo general funciones militares, administrativas y comerciales

La plaza fuerte de Fyrcat

En la localidad danesa de Fyrcat se ha excavado una plaza fuerte vikinga de finales del siglo x, cuyo círculo central albergaba los edificios necesarios para formar doce cuadrados.

EDIFICIOS EN FORMA DE NAVES

Los edificios de las plazas fuertes recuerdan por su forma las naves vikingas, que eran un símbolo de protección y de prosperidad para este pueblo marinero.

edificios ■
los edificios, del estilo de la casa vikinga, se disponían de tal manera que formaran cuadrados con un gran espacio abierto en el centro

■ **zona residencial**
las casas que servían de residencia a los guerreros y eventualmente a sus familiares estaban situadas fuera del recinto central

círculo ■
el corazón de la plaza fuerte solía tener forma circular y estaba dividido en cuatro partes iguales

■ **madera**
la piedra no hace acto de presencia en estas plazas fuertes, que se construían única y exclusivamente con madera

THOR, EL BONDADOSO DIOS DEL TRUENO

En la rica mitología vikinga, el padre de todos los dioses es Odín, que entregó uno de sus ojos como pago para poder beber un sorbo de la fuente de Mimin y adquirir así la sabiduría. Odín es el dios de la guerra y de la ciencia, el inventor de la escritura rúnica y de todas las artes. Tiene el aspecto de un anciano alto y tuerto, provisto de una larga barba blanca. Con su mujer, Freya, es el origen de la estirpe de los arios. Después de Odín, el más importante de los dioses vikingos es su hijo Thor, que habita en Asgard, la patria de los dioses, en una mansión con más de 400 habitaciones y un tejado de plata brillante.

Jormangundr ■

Jormangundr, la serpiente del océano, era la principal enemiga de la tierra de los hombres, y Thor consiguió matarla por fin después de reiterados intentos

muerte ■

la victoria sobre la serpiente fue un gran triunfo de Thor, pero le costó la muerte, ya que la bestia lo emponzoñó con su aliento venenoso

dios amado ■

por haber librado la tierra de los hombres de la amenaza de Jormangundr, Thor era el dios más amado por los vikingos

La reina de las diosas

La esposa de Odín, llamada Freya o Frigga, era la diosa del amor, del matrimonio, de la lluvia y de la fecundidad. Conocía el futuro, pero no podía revelarlo, y se la consideraba la esposa perfecta. A ella se debe el nombre inglés y alemán del viernes: Friday o Freitag.

EL MARTILLO DE THOR

Cuenta la leyenda que un día Thor perdió su martillo y acudió a Loki en busca de ayuda para recuperarlo. Loki lo envió a la tierra de los gigantes, donde se encontraba el martillo, pero Thrym, el rey de los gigantes, pidió desposar a Freya como condición para devolver el martillo. Entonces Loki disfrazó a Thor de Freya, y cuando Thrym iba a sellar el matrimonio con un golpe de martillo, Thor lo tomó y mató con él a todos los gigantes.

■ apariencia

Thor es un dios de edad madura al que se reconoce por su barba pelirroja y sus espaldas anchas

■ martillo

su arma es el martillo llamado *mejöllnir* (el destructor), que tiene la virtud de volver automáticamente a las manos de quien lo lanza

■ guante

para sujetar esa arma tan valiosa que es el martillo, Thor necesita cubrirse la mano con un guante de hierro

músculos ■

es un dios guerrero, enemigo de los gigantes, a los que combate sin descanso, y por eso tiene los músculos muy desarrollados y el vientre plano

cinturón ■

Thor ciñe su ropa con un cinturón mágico, que tiene la virtud de doblar su fuerza física

LA ÚLTIMA MORADA
DE LOS VIKINGOS

Cuando un vikingo moría, sus restos mortales se depositaban en tumbas en las que se colocaban también diversos objetos de uso cotidiano o de adorno indicativo de la posición social del fallecido. Las tumbas se situaban en cementerios colectivos y se señalaban con piedras cuya forma permitía distinguir si se trataba de hombres o de mujeres, o si la persona allí enterrada era de un rango social muy destacado.

arcones ■
a ambos lados del lecho se depositaban arcones con objetos significativos del fallecido, entre ellos sus escudos y sus espadas

UN CEMENTERIO INTACTO

En Norresundby, en Dinamarca, existe un cementerio vikingo perfectamente conservado, situado en una colina, sobre un amplio claro en el que crece la hierba.

■ **piedras**
dentro de los cementerios había conjuntos de piedras talladas de distintos tamaños que dibujaban diversas formas

■ **hombres**
las piedras colocadas en forma de barco señalaban las tumbas de los hombres

■ **mujeres**
las sepulturas de las mujeres se distinguían por la disposición de las piedras en forma de círculo

■ **ajuar funerario**
el ajuar funerario de un hombre importante podía incluir objetos tan variados como camas, tiendas de campaña, carros decorados, trineos, telares, zapatos...

■ **animales**
en algunos casos, con el difunto se enterraban también algunos de sus animales, como los caballos y los perros

■ **claros**
los vikingos solían escoger como lugar de emplazamiento para sus cementerios parajes despejados, carentes de árboles

■ **cadáver**
el cadáver de los hombres distinguidos se colocaba en el centro del drakkar sobre un lecho

■ **jefes**
a los hombres de mayor rango social se les sepultaba en el interior de un drakkar, que se enterraba en el cementerio dejando sus partes más elevadas al descubierto

Oseberg

En la localidad noruega de Oseberg se descubrió en 1904 un drakkar funerario con esqueletos y un gran ajuar que incluía cuatro carros decorados como el de la imagen.

CRIATURAS SERVICIALES Y SEÑORAS DE LA GUERRA

En la mitología vikinga, las valquirias son mujeres guerreras que viven en el palacio de Odín para custodiarle como guardianas y para servirle los alimentos y las bebidas. Además, Odín las manda a todos los campos de batalla para que decidan a quién le corresponde morir. A las valquirias se las conoce por su nombre (Hlin, Gna, Lofn, Vjofr, Syn...) y cada una de ellas tiene una misión específica, como llevar a los dioses las peticiones de los hombres.

corceles ■
Las valquirias son jóvenes doncellas que cabalgan por el aire montadas en airosos corceles

Wagner y las valquirias

A mediados del siglo XIX el compositor alemán Richard Wagner compuso *El anillo del Nibelungo*, un ciclo de cuatro óperas (*El oro del Rin, La valquiria, Sigfrido* y *El crepúsculo de los dioses*) que recrea los héroes de ficción de las mitologías sajonas y escandinavas.

EL VALHALA

Los vikingos llamaban Valhala al paraíso al que eran conducidos después de la muerte aquellos que alcanzaban el favor de los dioses. El Valhala era una parte de Asgard, la casa de los dioses, cuyas paredes estaban hechas de escudos y su techo de lanzas.

aurora ■
en la mitología nórdica se dice
que las luces de la aurora no
son otra cosa que
los reflejos de los escudos
de las valquirias

■ **alas**
tienen largas cabelleras
rubias que se agitan al viento
y llevan sobre la cabeza un
casco con alas que las ayuda
en su vuelo

■ **valquirias**
su nombre significa
"escogedoras de los caídos",
ya que son ellas quienes
deciden quién debe morir en
cada batalla

■ **vestidos**
sus vestiduras blancas indican
su virginidad y los ropajes
vaporosos dan prueba de su
agilidad y ligereza

portadoras ■
las valquirias recogen a los héroes
caídos en la batalla y los llevan al
paraíso o Valhala, donde son recibidos
con una bebida

■ **guerreras**
son mujeres guerreras, y como
muestra de ello, llevan lanza y
escudo, y calzan sandalias que
les llegan hasta media pierna

■ **invisibles**
son invisibles para el común de los
mortales y sólo pueden verlas los
guerreros que están a punto de
morir en el campo de batalla

UN LEGADO VIKINGO

En el siglo x, cuando el cristianismo comenzó a difundirse en Noruega, los vikingos estaban en su época de pleno esplendor. Es natural, por ello, que en las primeras iglesias noruegas se aprecie la influencia de la artesanía vikinga, sobre todo en los detalles ornamentales. Estas iglesias son de madera y aunque la mayoría de las más antiguas han desaparecido, todavía se conservan 29 templos del siglo xii que ilustran la simbiosis entre el legado vikingo y el primer cristianismo noruego.

INTERIORES CON COLUMNAS

En el interior, las stavkirker suelen estar formadas por una nave y un coro, con una o más columnas de madera en el centro para sostener los altos techos de esta parte de la iglesia.

■ largueros

en la parte superior, los tablones de las paredes se sujetan a un madero horizontal, llamado larguero, que también sirve de sustento al techo

■ edificios escalonados

las iglesias llegan a tener hasta cuatro alturas escalonadas, con tejados en cada una de ellas

■ tablones angulares

los tablones de las esquinas son el doble de anchos que los normales y se disponen en forma de ángulo

Al compás del viento

Veletas de metal decoradas al estilo vikingo remataban las iglesias más altas para indicar la dirección del viento.

dragones ■

las figuras en forma de dragón que decoran los extremos de algunos tejados recuerdan las de las proas de los drakkars vikingos

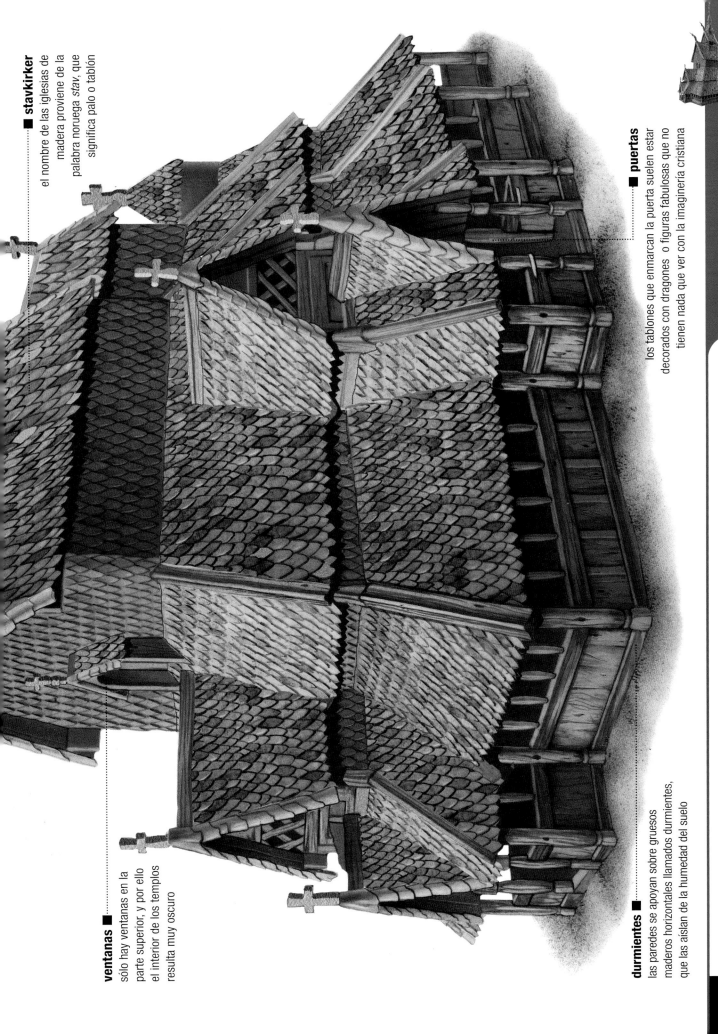

■ **stavkirker**
el nombre de las iglesias de madera proviene de la palabra noruega *stav*, que significa palo o tablón

ventanas ■
sólo hay ventanas en la parte superior, y por ello el interior de los templos resulta muy oscuro

durmientes ■
las paredes se apoyan sobre gruesos maderos horizontales llamados durmientes, que las aíslan de la humedad del suelo

■ **puertas**
los tablones que enmarcan la puerta suelen estar decorados con dragones o figuras fabulosas que no tienen nada que ver con la imaginería cristiana

GUILLERMO EL CONQUISTADOR, UN REY VIKINGO

Guillermo el Conquistador descendía de los vikingos que se establecieron en Normandía a partir del año 911 y que crearon allí un estado aristocrático. Fue hijo ilegítimo del duque Roberto el Diablo, pero su padre lo reconoció como heredero legítimo, y en 1035 pasó a ser el nuevo duque de Normandía. Tuvo que enfrentarse en sus tierras a una larga guerra civil, y cuando su primo Eduardo el Confesor, rey de Inglaterra, lo nombró heredero de su reino, debió hacer frente al conde Harold, a quien derrotó en la batalla de Hastings.

■ **rey de Inglaterra**
tras la victoria de Hastings, Guillermo el Conquistador fue proclamado rey de Inglaterra, y se mantuvo en el trono hasta su muerte en 1087

DE "EL BASTARDO" A "EL CONQUISTADOR"

El rey Guillermo, llamado en un principio "el bastardo", fue conocido más tarde como "el conquistador" por su conquista de Inglaterra. A él se debe la creación de la figura del *shire*, que todavía da nombre a un título inglés.

El tapiz de Bayeux

La conquista de Inglaterra por los normandos está representada con todo lujo de detalles en el tapiz de Bayeux, una tela de 70,34 m de longitud por 0,50 m de ancho bordada con lanas de ocho colores. Está rodeado por un friso con animales, follaje y escenas de caza y se conserva en la ciudad de Bayeux, en Francia.

■ caballería
una vez en tierra, los normandos se colocaron sus armaduras y sus cascos y montaron sobre sus cabalgaduras

■ drakkars
los barcos de tipo drakkar en que viajaron los soldados atestiguan los orígenes vikingos de los normandos

■ Pevensey
los barcos ducales viajaron de Normandía a Pevensey, en Inglaterra, donde desembarcaron los soldados con sus caballos

■ cristianos
los normandos de la época de Guillermo el Conquistador eran cristianos, a diferencia de sus antepasados vikingos, y por eso llevaban estandartes con cruces

■ rumbo a Inglaterra
para defender sus derechos al trono de Inglaterra, Guillermo el Conquistador embarcó a sus tropas con rumbo al país vecino

■ final trágico
después de una dura campaña, los normandos dieron muerte a Lewine y Gyrd, los hermanos del conde Harold

■ Hastings
la derrota final de Harold se produjo en 1066 en la batalla de Hastings

CRONOLOGÍA

AÑOS	HECHOS HISTÓRICOS
793	Saqueo del monasterio de Lindisfarne, en Inglaterra.
795	Primeros saqueos en las costas irlandesas.
823	Llega a Dinamarca el primer misionero cristiano, el obispo Ebo de Reims.
834	Comienza la ocupación de Irlanda por parte de los vikingos noruegos.
839	Los vikingos suecos llegan por primera vez a Constantinopla.
841	Fundación de Dublín por los vikingos noruegos.
843	Ataque vikingo al estuario del Garona y a Toulouse.
844	Vikingos daneses ocupan Cádiz y saquean Sevilla.
845	Primer saqueo de París.
850	Construcción de las primeras iglesias cristianas en territorio vikingo.
857	Nuevo saqueo de París.
859	Vikingos daneses atacan el norte de Italia.
860	Saqueo de Pisa.
862	Vikingos suecos acaudillados por Rurik toman la ciudad eslava de Novgorod.
866	Vikingos suecos sitian Constantinopla.
874	Empieza la colonización de Islandia.
878-954	Los vikingos ocupan una región de Inglaterra a la que se da en llamar Danelaw o zona sometida a la ley de los daneses.
882	Con la unificación de los territorios de Kiev y Novgorod nace el reino Rus.
885	Los vikingos sitian París durante un año seguido.
911	Carlos III el Simple cede al vikingo Rollón las tierras que se llamarán Normandía.
960	Cristianización de Dinamarca a raíz del bautizo de Harald II "Diente Azul".
966	Nuevas incursiones vikingas en la península Ibérica.
971	Derrota vikinga en Galicia a manos de las tropas del conde Gonzalo Sánchez.
985	Comienza la colonización de Groenlandia, descubierta en 981.
1013	El rey Sven I de Dinamarca conquista Inglaterra y la incorpora a su reino.
1014	El rey Brian Boru de Irlanda derrota definitivamente a los vikingos en la batalla de Clontarf.
1035	Muere Canuto el Grande y desaparece con él el Imperio vikingo danés.
1066	Guillermo el Conquistador vence en la batalla de Hastings y conquista Inglaterra.
1100	Acaban definitivamente las incursiones vikingas.
1130	Los normandos crean el reino de Sicilia.

¿SABÍAS QUE...

...la palabra vikingo es un antiguo término nórdico, *vikingr*, que significa "escandinavo en viaje de pillaje"?

...la palabra normando (como también se les conoce a los vikingos) se la dieron los francos, y significa "hombres del norte"?

...su expansión no sólo fue forzada por las duras condiciones de su tierra, sino también porque sus tradiciones orales les animaban a partir hacia tierras lejanas sin miedo a lo desconocido?

...llegaron a realizar sacrificios humanos, durante los que abrían la caja torácica de un prisionero, le arrancaban los pulmones y se los ofrecían a Odín?

...los nombres de Islandia y Groenlandia significan "tierra de hielo" y "país verde", respectivamente, y fueron acuñados por los vikingos?

...el rey Olav II Haraldson de Noruega se convirtió al cristianismo, fue canonizado y es el patrón de su país?

...los vikingos creían en los elfos, enanos que hacen armas para los dioses y que cantan y bailan en los bosques a la luz de la luna?

...los vikingos pensaban que la Tierra se había hecho con la piel de Ymir, el gigante malvado del hielo, las montañas con sus huesos, la vegetación con su vello y los acantilados con sus dientes?

...algunos de los nombres más corrientes entre los vikingos eran Harald, Sven, Eric y Olav?

...en el museo vikingo de Roskilde (Dinamarca) se halla un espléndido drakkar (25 m de eslora y un banco de boga de 32 remeros), descubierto en Gokstad a finales del siglo XIX en muy buen estado?

...en el año 1975 los estadounidenses enviaron a Marte dos sondas, conocidas con el nombre de *Viking* en honor a aquel pueblo intrépido y explorador, y con el objetivo de comprobar si existe vida en el planeta rojo?